I'VE BEEN THINKING
OF GIVING SLEEPING
LESSONS...

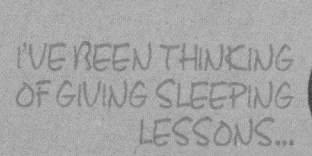

我一直想
开一门睡觉课……

[美]查尔斯·舒尔茨 *SCHULZ*

希望出版社

图书在版编目 (CIP) 数据

我一直想开一门睡觉课…… / 查尔斯 · 舒尔茨 (Charles M. Schulz) 绘，
卢茵译 . 一太原：希望出版社，2006.5
（史努比彩色周日版②）
ISBN 7-5379-3696-X

I. 我… Ⅱ .①查… ②卢… Ⅲ .漫画—作品—美国—现代 Ⅳ . J238.2

中国版本图书馆 CIP 数据核字 (2005) 第 133367 号

作　者 / 查尔斯 · 舒尔茨		出版发行 / 希望出版社	
译　者 / 卢 茵		经　销 / 新华书店	
责　编 / 王 琦		印　刷 / 广州伟龙印刷制版有限公司	
复　审 / 陈 炜		规　格 / 787×1092mm　1/24　$4\frac{2}{3}$ 印张	
终　审 / 琚林勇		版　次 / 2006 年 5 月第 1 版第 1 次印刷	
制　作 / 广州公元传播有限公司		书　号 / ISBN 7-5379-3696-X/J · 217	
装帧设计 / 唐 薇		定　价 / 180.00 元（全 10 册）	

咨询电话：020-33199099

I'VE BEEN THINKING OF GIVING SLEEPING LESSONS... 我一直想开一门睡觉课……

史努比和他的伙伴们
THE PEANUTS GANG

WOODSTOCK 胡士托 一只飞行技术甚差的小鸟。他是史努比的亲密朋友，经常一起捉弄别人，只有史努比才能明白胡士托的话。

CHARLIE BROWN 查理·布朗 他心地善良，是棒球队的监督投手，但做事经常犯错，导致棒球队每次比赛都败北。他是史努比的主人。

SNOOPY 史努比 是个体育高手，喜欢写小说，最喜欢吃意大利薄饼和雪糕。他经常扮演不同角色的人物，包括：第一次世界大战的空中英雄、外科医生、职业球手等等，亦很喜欢与查理·布朗等人玩耍，最讨厌邻居的猫。

SALLY BROWN 莎莉·布朗 查理·布朗的妹妹，经常梦想成为莱纳斯的女伴，性格刚强，经常用最简单的办法来解决问题，最讨厌上学。

LUCY VAN PELT 露丝·华·比利 她最擅长批评别人的过失，是一个自我中心的人，属于利己主义者。很喜欢舒路达，经常想亲近他，可是每次都失败。

LINUS VAN PELT 莱纳斯·华·比利 露丝的弟弟，拿着毛巾令他有安全感，他是花生漫画里的哲学家，是个信奉万圣节的大王。

SCHROEDER 舒路达 是个擅于用玩具琴弹奏的艺术家，虽然是棒球队的捕手，可是他的脑袋中只有贝多芬的事，对露丝的示爱无动于衷。

RERUN VAN PELT 礼让·华·比利 露丝的弟弟，仿佛生来就是为了折磨姐姐的。他坐在妈妈的自行车后座上，看起来最滑稽了。

PEPPERMINT PATTY 薄荷·碧蒂 经常在上课时睡觉，虽然学业成绩很差，但精于体育，尤其是棒球，性格很像男孩，并喜欢查理·布朗。

MARCIE 玛茜 她聪明，学习成绩好，是班内的优异生。虽然球技甚差，但仍可成为棒球队队员，她与薄荷·碧蒂是好友。

ROYANNE 罗亚妮 她是一位投手，因为查理·布朗是她的梦中情人，所以让他打出了两个全垒打。

SPIKE 史派克 史努比的哥哥，与沙漠中的仙人掌为邻，骨瘦如柴。他创造了数百种利用仙人掌的方法。

FRANKLIN 富兰克林 诙谐的评论家，与查理·布朗是知己。他的成绩很好，也非常欣赏他的祖父。

PIGPEN 乒乓 一个"人体尘土银行"，整天身上都是脏兮兮的，但一直都很乐观，不惧怕别人的攻击。

PEGGY JEAN 佩吉·珍 查理·布朗遇见的可爱女孩。自从在夏令营认识她后，查理·布朗便爱上了她。

MOLLY VOLLEY 茉莉 她是史努比网球场上的伙伴，也是网球高手，很少打败仗。她对自己的体重很敏感。

EMILY 艾米莉 查理·布朗在跳舞班上的伙伴。她偶尔也会邀请查理·布朗参加舞会。

LYDIA 莉迪娅 坐在莱纳斯后面的女生，总是说莱纳斯太老。她喜欢给自己取名字。

CORMAC 科马克 他是一位学不好游泳的小男孩。他非常迷恋莎莉·布朗。

OLAF 奥拉夫 他也是史努比的哥哥，性格沉稳，还是"丑犬大赛"的冠军。

EUDORA 尤杜拉 她是一个经常沉思及喜欢戴帽子的女孩。她很讨厌去夏令营。

FRIEDA 傅丽达 这个小女孩有一头天然的卷发，喜欢看史努比追兔子。

VIOLET 阿兰 她是一位盛气凌人、性格急躁的女孩，经常戏弄查理·布朗。

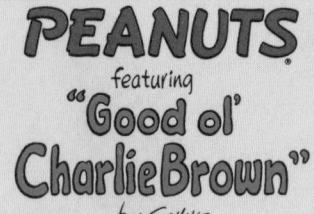

我本该活得更好才对……

可能是我要求太高了……

想想，要是碰上一个笨蛋主人，他会一天到晚让我呆在小货车上陪他到处跑……

还有更糟的，站在拖车上面……

我见过有些小狗站在拖车上等红灯，突然绿灯一亮，他们就……

哎呀！

相比之下，我的生活算是挺美满的呢！

噢，这是怎么了？

			准备好了吗？
上跑道…… 预备……	跑！	起步不错！	漂亮！
干得好！		砰！	我就是担心他过不了这两关……

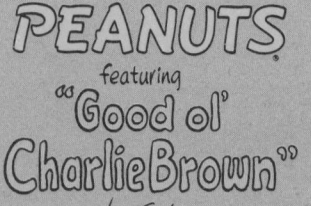

我们今天来点复杂的花样吧……　　别搞得太复杂了……

这样吧……你先往前跑，从左边切入，回身，直跑，回身，向右，然后出场……　　明白了吗，玛茜？　　大概吧……我先从左边切入，向前跑，转右边，回身，走左路，再掉头，直跑，走左路，再转右……　　不对！应该是向前跑，从左边切入，回身，直跑，回身，转右路，然后出场！　　我看不如我来开球，你负责进攻吧。

好，我先从左边出球，回身，转右路，从左边切入，再直跑……　　再从右边出球，从左切入，回身，直跑后从右切入……　　不对，玛茜！我会从左边出球，回身，转右路，从左边切入，再直跑！　　嗯，我有个提议……　　我从左边切入，回身，直跑，从右路进攻，回头，从左路切入，然后回家吃晚饭！　　真受不了……

莱纳斯，这是尤杜拉，还记得吧？

记得……你好！

万圣节之夜*快到了！

万圣节那天，南瓜大王会从南瓜地里钻出来，给所有的小朋友带来玩具。

出来之前他会先观察所有的南瓜地，看看哪一块最好……要是他选了这一块，那我就能亲眼见到他啦！

我有强烈的预感，他肯定会选这块的！！肯定会的！

呜哇！那时候一定开心得不得了！！！

看到了吧？

从自己姐姐口中吐出"看到了吧"这句话，简直比蛇的毒牙还要尖锐！

* 万圣节之夜，人们会在当晚化妆和搞恶作剧，最常见的是把南瓜挖空，戴在头上扮鬼。

掉价 20%　　　　　　　　　　　　听听这个……　　一定要听吗?

你知道今年我在你身上花了多少钱吗? 我算了一下……　　我不想听……　　你知道个人扣税又加重了吗?　　我不要听!　　我把你全年住宿开销的总和也算出来了……

我讨厌听!　　然后是看兽医的账单……　　你知道今年光是给你治病就花了多少钱吗?　　我要晕了!　　别跟我说我不值那个价。

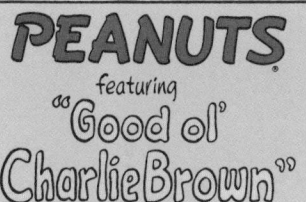

妈妈问你的狗要不要一起去。		喂，史努比！
我们全家人要开车出去兜风，你要来吗？	好呀！我喜欢汽车！	
怎么了？	我还以为你喜欢坐车兜风呢……	我只喜欢由我来开车去兜风！

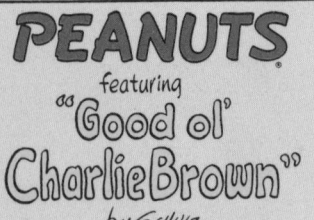

我只要 5 分钟就够了。

| 嗨，小鬼！ | 休息…… | 就是关于…… | 嗯……能否…… |
| 给我…… | 一个机会…… | 去…… | 可恶！跟一个正在荡秋千的人根本无法交谈！ |

		在哪？
是那个吗？	那只是食雀鹰向下俯冲的画像而已。	小鸟看到玻璃窗上的天空的倒影，往往就会往窗户冲过去……
但他们一看到鹰的画像，就不敢冲过去了。	砰！	当然，这世上总有一些事情是你预料不到的。

9点45分，睡觉的迹象出现了……

碧蒂，我正在对你的课堂睡眠规律作一个研究。

仰睡，嗯，没问题……

俯睡，也没问题。

轰！

侧睡，有待改善。

草莓？柠檬？还是酸橙？		选哪个好呢？
你觉得哪个好？	去年你不是选了个草莓的吗？	对……
老实说，我真搞不懂自己为什么要做这种事……	来吧！希望你喜欢柠檬味的！	想不到这棵吃风筝的树居然这么挑吃！ 格格格！

正在生闷气的露丝				砰！
滚开！我要躺在豆袋椅里生闷气！ 去饭厅的椅子上吧！				坐在饭厅的椅子上根本就不消气！
我就是要躺在豆袋椅里……你去拿椅子坐吧！	好了，你可以走了，让我一个人在这儿生闷气……	我背对着电视，怎么看啊……		这太没道理了……

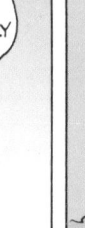

日历看多了，你会发疯的……

今天是父亲节……我爱爸爸……我好想他……

就是他教会了我们"干酪耍猫法"……

你可以逐渐消失，只剩下咧开的嘴巴……

直到有一天，爸爸真的消失了……我们不知道他去了哪里……做狗就是这点麻烦……老是把事情藏在心里，从不跟别人提……

现在，我们一家人都各散东西了……史派克住在尼德尔斯，贝儿则在堪萨斯城……

其他人在哪，我一点都不知道……

不过，不管你在哪，爸爸，祝你父亲节快乐！

唉！

		心理咨询第 9 号			医生候诊	我当然知道你来这儿的目的……我都明白……
心理咨询收费 5 分医生候诊	查理·布朗，我有个建议。	你会吹口哨吗?	吹口哨?	你的毛病在于缺乏自信……你要觉得自己好才行。	下次你在街上走时也吹吹口哨吧……那样会使感觉良好，然后也会觉得周围的人好……	
					医生候诊	你还是提点别的建议吧……

最讨厌他们七嘴八舌了!

辛德尔勒夫堡垒 咨询请进		记住……要保持清醒……	
高度警惕，提防敌人！		砰！	
咔啦！		砰！	你还是先看好自己，小心 别掉下来吧！

I'VE BEEN THINKING OF GIVING
SLEEPING LESSONS
我一直想开一门睡觉课……

呼！　　　　我讨厌做那样的梦！

今晚会很冷，不过别担心。	从来没有过这么棒的主意！	脚暖和了，身子就暖和……	所以你要先喝了这两杯热巧克力……	真好喝啊！
再把空杯子盖在两只脚上……	很聪明吧？	这样你就可以舒舒服服地睡一夜了！	只要隔壁的猫不笑我就行！	嘻嘻嘻嘻嘻……

去把旗杆拿出来。

好，现在可以把旗
杆放回去了……

这年头要找个好的球童真不容易……

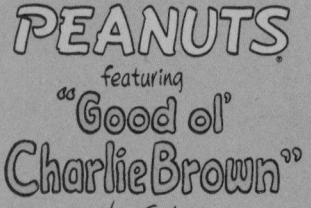

那是一个漆黑的暴风雨之夜。

这样开头太可怕啦……老掉牙了！

应该先说："从前……"。所有好故事都是这样开头的……

就这样吧，用"从前"作为你这部小说的开头。

从前，在一个漆黑的暴风雨之夜……

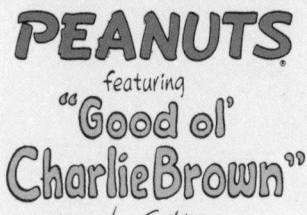

意见 —5 分；每日小提示 —10 分；金玉良言 —25 分

你醒了吗？　　　　　谁说的？！

我真搞不懂你在想什么……

生活不单是躺在那里那么简单。

你什么时候才起床干点事情呢？外面的世界大着呢！

你为什么不离开这地方，出去闯闯呢？

她一点都不明白……

要是现在离开这个地方，我所有的养老金就全没了！

			忧虑简直就是浪费时间！
收费5分 医生候诊	将来的事情你再担心也是没用的，查理·布朗……	你也不可能为明年、下个月、下周甚至明天要发生的事而操心。	至于过去的事，就更不该担心了……反正都过去了……
医生 候诊	要是你真想费心的话，不如担心一下目前的情形……	目前的情形？为什么？	砰！	心理咨询 收费5分 医生候诊	我刚才看到那球飞向你，所以就……

你似乎脸色不大好。

昨晚根汁汽水喝
多了吧？ 不是。

然后又吃了太多比萨饼
……对吧？ 不是。

接着又通宵跳舞
…… 不，绝对不是那
样的……

根本不是你说的那样。

不是因为根汁汽水、比萨饼、或者是
跳舞……

而是想起现在已经到 1984 年了，没办法
不听乔治·奥威尔*的那些笑话……

* 乔治·奥威尔(1903—1950)，英国作家，其极富想像力的小说猛烈攻击集权主义，并反映对社会不平等的关注。作品有《1984》和《动物农场》等。

I'VE BEEN THINKING OF GIVING
SLEEPING LESSONS
我一直想开一门睡觉课……

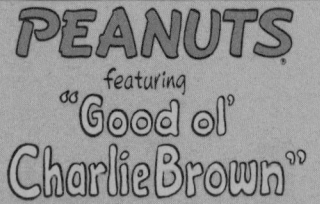

女士至上，不容置疑，她们说了算。			起来！
你坐了我的位子！　这不是你的位子，而且是我先来的……	那我们定一个协议吧……	什么样的协议？	这张椅子你有时候可以用用……
而大部分时间归我！			你是全部时间都要用吧！

医生候诊		也许你是正常的……也许你不是。	医生候诊	怎样才能辨别出来？	
医生候诊	这是我弄出来的一份"压力测试题"。	图书馆刚刚打来电话，说你借的书已过期 5 年……你的眼科医生说你要配眼镜了……	牙医刚打电话找你，说要马上过来给你做牙髓腔手术……你给自己倒了一碗麦片，然后发现牛奶没了……		
你的同学把你最喜欢的帽子扔到树上了，接着老师又说你的读书报告是她看过的最差劲的……		你会有什么反应，查理·布朗？	啊？	医生候诊	行了，你很正常……请付 5 分钱！

是的，老师，我冒雨来上学的……只好用活页夹遮着脑袋，免得着凉了……	我的报告？呃，在活页夹里面。不过它似乎生锈了，竟跟我的脑袋粘在一起……	我已经把全部东西搁在你桌子上了，或者你可以从夹缝里看进去……
老师你最好快点……我觉得我快要滑下去了……	轰隆！	太有趣了，老师，你抱怨的声音听起来像小狗在哼哼叫……

PEANUTS

featuring "Good ol' Charlie Brown"
by Schulz

REGISTER

Keys

SIGH

IT'S FUNNY..JUST LOOKING AT AN AD FOR A HOTEL THAT SHOWS AN EMPTY LOBBY MAKES ME FEEL LONELY

I DON'T WANT TO GROW UP, AND LEAVE HOME, AND TRAVEL AND LIVE IN HOTELS...

YOU HAVE TO.. YOU CAN'T STAY HOME FOREVER!

AND AS SOON AS YOU LEAVE, I GET TO MOVE INTO YOUR ROOM!

8-5

HA! BUT YOU'LL HAVE TO LEAVE, TOO! YOU CAN'T STAY HOME FOREVER, EITHER

I CAN'T ? WHO SAYS SO ?

THAT'S THE WAY IT IS

I DON'T BELIEVE IT!

YOU'LL FIND OUT! EVERYONE HAS TO LEAVE HOME!

© 1984 United Feature Syndicate, Inc.

TURN THE TV UP LOUD, CRAWL INTO A BEANBAG WITH A BOWL OF ICE CREAM AND DON'T THINK ABOUT IT

登记处 钥匙

唉

奇怪……刚才在广告上看到一间空荡荡的旅馆，竟让我感到了孤独。

我不想长大，不想离开家，不想去旅行，不想住旅馆。

可你总不能永远呆在家里吧？

而且你一走，我就可以搬进你的房间了！

哈！但总有一天你也要走！你也不能永远呆在家里。

我不能？谁说的？

事实就是这样。

我不信！

你以后会明白的！每个人都得离开家的！

把电视音量调大，捧着一盘冰淇淋钻进沙发里，然后忘掉他说的话。

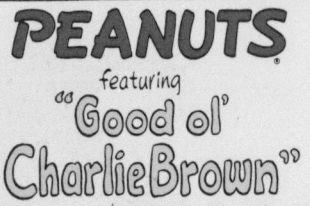

我们说好不射门的。		王牌冰球场
回来了？第一次去打冰球吧？	这是什么？小伤口？疼吗？	最好给你找块胶布……
贴在那里！	冰球很好玩，就是有点粗野。	其实我是在戴头盔时把鼻子撞伤的……

		泰国歌。
开球。	胡士托抢到了球……	它转身冲向球门……
绊倒了？！！	骗子！	这是本赛季我受到的第一个处罚。

天啊，我的盛水的盘子昨晚结冰了！	然后……他们就过来了……	现在他们打算要溜一天的冰……
说不定还要到半夜……	晚上溜冰……我最受不了的就是这个……	灯光和管风琴声会把我逼疯的！

小心恶犬

你要过来？太好了！直接从我家后门进来吧。

狗？对，我养了一条狗，不过别担心。

他不会咬人的……他甚至连怎么咬人也不懂……他是那么温和，绝不会伤害别人……

不，你一点也不用担心。

砰！

不过，你也许需要戴上护胫……

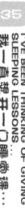

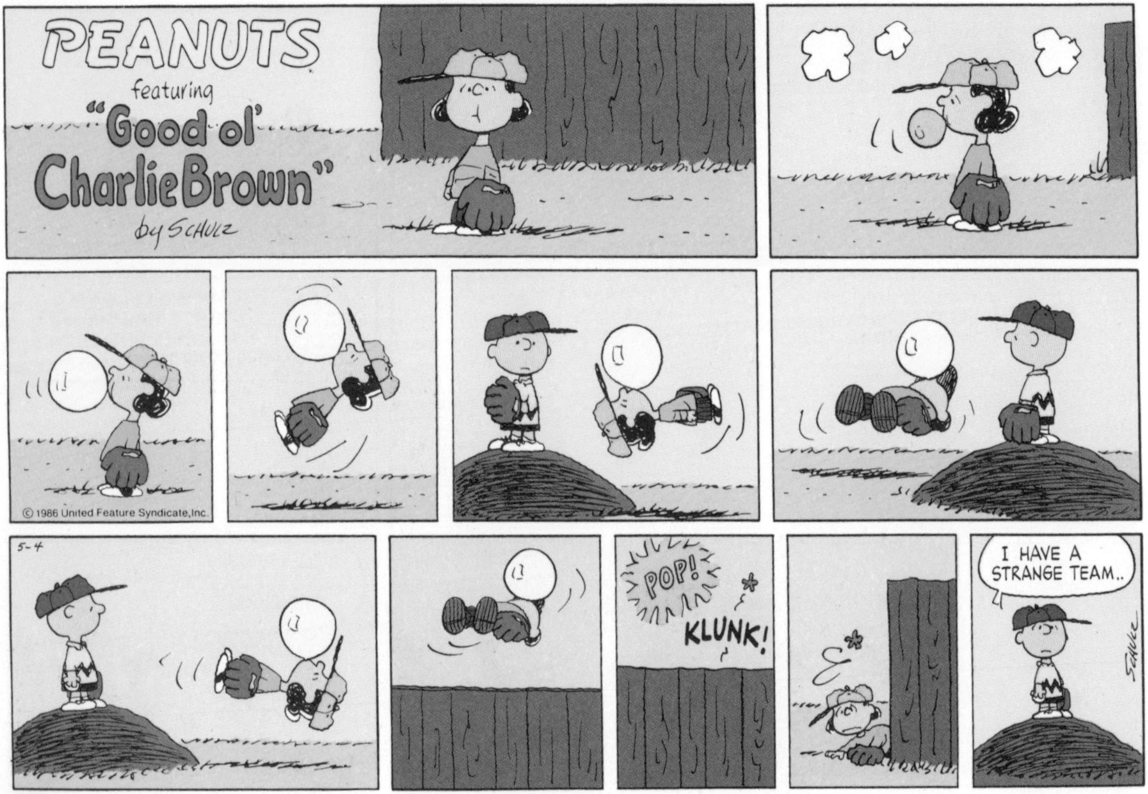

啪啦！哐啷！

我有一支奇怪的球队……

PEANUTS featuring "Good ol' Charlie Brown" by Schulz

WATCH IT, BEAGLE! IF YOU TOUCH THIS BLANKET, I'LL DESTROY YOU!

I'LL DESTROY YOU AND ALL YOUR COUSINS, AND THE PLACE WHERE YOU WERE BORN AND ALL THE RECORDS AT THE COURT HOUSE! SMALL CRAFT WARNINGS WILL BE POSTED ALONG BOTH COASTS! I WILL POUNCE ON YOU LIKE THE LAST DAYS OF POMPEII!!

SO BACK OFF!

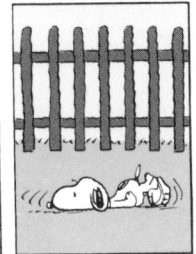

© 1986 United Feature Syndicate, Inc.

WHEN I BACK OFF, I BACK OFF!

7-20

看好了，小狗！要是你碰着了这毯子，我就杀了你！

我还要杀了你的表兄妹！毁了你的出生地和法院里所有的记录！看到警报了吗？我会像火山突袭庞贝城＊那样扑向你！！

还不退后！

大丈夫能屈能伸！

I'VE BEEN THINKING OF GIVING SLEEPING LESSONS
我一直想开一门睡眠课……

＊ 庞贝古城，位于古罗马东南部，公元79年火山爆发，全城被毁灭。

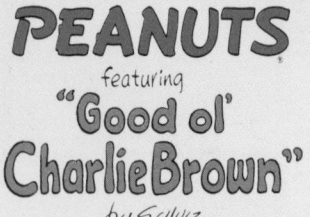

哈欠……

砰！

律师可吓唬不了我！

嘿，史努比，咱们去散散步吧！

要是看到松鼠、野鹿、野鸡或者兔子什么的，你就尽管吠吧，把他们赶得满山遍野疯跑！

就是这样子了。

我听到脚步声了。

一个男孩和他的狗像老朋友那样在林子里散步。

我讨厌他那样看着我……

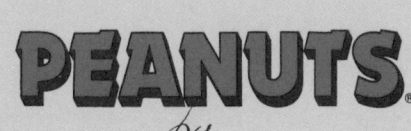
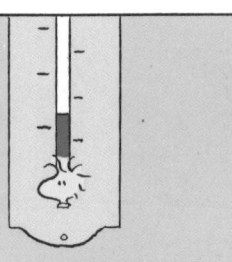
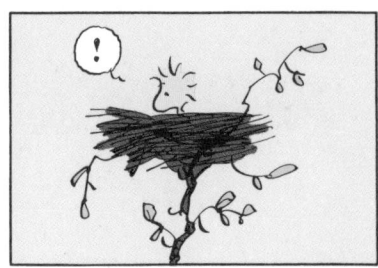

这是什么？

看上去像针垫，又像耳塞，或者……

没错，就在这儿……我就是在这儿找到的……

是你所说的那样吗？

原来是胡士托的"暖脚垫"。

露丝！快退后！		眼睛要盯着球！	
砰！		砰！	我还需要些硬币……
		砰！	他们说的没错……要解决一个问题光靠往里边扔钱是不行的……

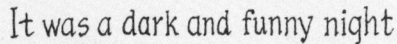

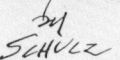

这是一个漆黑而有趣的夜晚。

你不敢肯定这个故事是否有趣？让我看看……

嗯，是挺有趣的……

不是那种让你"哈哈"笑的有趣……

也不会让你"呵呵"地笑，甚至连"嘻嘻"也没有……

不过既然是一条狗写的也算凑合了，就是这个想法让人觉得有趣……

梆!

"梆!"好啦,这回够有趣了吧!!

从这儿看，你会觉得自己能摸到云朵……	有时它们看起来跟我们一样充满生气……	当然，这并不是真的……
他们以自己的方式运行着，而我们也有自己的生活……	他们甚至不知道我们的存在。	

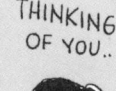

有空的时候，我以某种方式，思念你……

这张卡还挺有意思的……

是的，小姐……我想买张卡送给一条狗……

是我朋友的狗……他刚做了个膝盖手术……

他真是条好狗……他很可爱，很聪明，很友好，很漂亮……

我真为他而感到抱歉……

你有没有一些骂人的卡片卖？

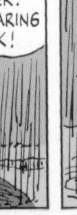

大家哪去了？只是场阵雨罢了！回来！雨很快就会停的！回来！

比赛怎样？

我是一路坐着二垒回来的。

你是说你偷进了二垒，然后一路跑回来了？

不，我是一路坐着二垒回来的……

我一辈子都搞不懂打棒球的人说的话！

吃晚饭喽!

你怎么啦? 平时一到开饭时间, 你不是就手舞足蹈的吗……

真难以置信……

我竟然把舞步给忘了!

嗙！

嗙！

砰！

嘿，投球手！坚持一会儿！我给你
带点东西过来，或许你用得上……

提供所有答案（还有更多）

你觉得我烦吗？　　暂时还没有。

你觉得有我这种整天指出你种种错误的人好不好？

我觉得不好……

看到了吧？这就是你的问题之一……你根本就不想进步……

我不需要你来帮我进步！

你就是这么沉不住气！这么容易就发火了……

我不需要听你的教训！

而且你以为只要走出这个房间就什么问题都解决了……

还有，你看完电视总是忘记关掉它！

你怎么走路不长眼睛啊！？

看，小狗……这水塘容不下我们两个！

回家吧你！！

街上走来一顶绒线帽……

我想他向我们前门走来了……

你最好让他进来……

不行，我哥哥现在不能接电话……

他正戴着一顶绒线帽看电视。

说错了，他不是戴着绒线帽……而是跟绒线帽坐在一块看电视！噢，别提了！

It

"IT"... YES, I LIKE THAT

It was a dark and stormy night.

"YOU NEVER TAKE ME ANYPLACE,' SHE COMPLAINED"

"How can I take you anyplace when it's a dark and stormy night?" he said.

"THEIR MARRIAGE WAS RAPIDLY COMING APART"

5-7

© 1989 United Feature Syndicate, Inc.

They were behind with their car payments, and the rent on the condominium was due.

WHAT A SAD LITTLE STORY..

I'LL BE ANXIOUS TO SEE HOW YOU GET THEM OUT OF THEIR TROUBLES..

Suddenly, their dog, Rex, decided he'd better take over!

"它……"是的，我喜欢。

在一个漆黑的暴风雨之夜。 | "你从来没带我去过什么地方。"她抱怨说。 | "在这么一个漆黑的暴风雨之夜，我还能带你去什么地方呢？"他说。 | "他们的婚姻很快就破裂了。"

他们拖欠汽车贷款，而交付房租的期限也快到了。 | 真是一个伤感的小故事…… | 我想知道你打算怎样把他们从困境中解救出来…… | 突然，他们的狗雷克斯决定出手接管这一切！

建议		
	唾沫曲球*?	不！绝不能这么干！
投唾沫曲球是犯规的！	打棒球只有一种方法，也是唯一正确的方法！否则我们来这儿干什么？	只为了喝杯水就得听他讲一通古怪道理……

* 唾沫曲球，指打棒球时，投手将球一端弄湿，使球在空中作弧线运动，为犯规球。

不许说"再打一次"！

哈欠!

噗!

噗!

我一直是开一门睡觉课……

"蹦极高手"！

不是，我只是想出去走走。

我准备好了，就等你了。

天啊，又来了……

我一生中的一半时间都在等他。

每次出去走走时他都会这样。

他总要停下来看完所有的报纸。

一座冰屋，太好了……

这不是冰屋？那你觉得是什么？

狗屋？

为什么你叫它狗屋？

不，我觉得它根本不像我的鼻子……

记住！我这么做都是为了你。

我们又再次向山顶出发……

现在，如果你妈妈碰巧飞过，你就可以向她问好了。

也许你该想想要对她说点什么……

天啊，不要这样！今天可是母亲节啊！

你不能光问："近来你都读了些什么书？"

咔嚓!

听说你在巡回赛输了一杆……

喂，别那么在意了……

明早见。

一个真正的运动员就该学会怎样从失败中振作起来……

© 1991 United Feature Syndicate, Inc.

12-29

查理·布朗，你站在柜子前面干什么？	我觉得希瑟可能会约我在这儿见面。		查理·布朗，你站在饮水机旁边干什么？	我觉得雷切尔会到这里见我。
查理·布朗，你怎么一个人坐在凳子上？	我只是觉得伊丽莎白可能会到这儿找我。		在没人找你的时候，你就得假设所有人都会到什么地方找你！	

买一张票。

我要两张。

老人？我想他已经是老人了……我不太清楚……

怎样才算老人呢，65 岁吗？我想如果换到人类世界来，他可能有 100 岁了……可能还不止呢……

噢，是吗？

哦，我明白了。

如果你是老人，你就能买到半价票……但如果你是条狗，你连门口都进不了！

现在轮到你了。				
开球！		哎唷！！我的手指！我的手指全断了！！	我讨厌排球！	别闹了，来吧！再试一次。
为什么我不……	用脚踢呢？！	啊哟！我的脚趾！我的脚趾全断了！！	谁把她叫来的？记得吗？	不记得了，每次一想到这个，我的脑子就会一片空白。

WHAT ARE THEY PLAYING TODAY, MARCIE?

SYMPHONY NUMBER NINETY-SIX BY HAYDN..

WHEN IT WAS PERFORMED IN 1791, A CHANDELIER FELL INTO THE HALL..

REALLY? WOW!

HEY, KID..Y'WANNA TRADE SEATS?

他们今天表演什么，玛茜？

海顿的第 96 交响乐……

听说在 1791 年的一次演奏中，一盏吊灯从上面掉了下来。

真的吗？哗!

嘿，小鬼，我们换个位置坐好吗?

于是伊萨克便得救了。

然后，你猜猜发生了什么事？

阿卜翰转过身来，看见一只公羊……

公羊的角被夹到灌木丛中了……他会去救它吗？当然不会！

他把它作为献祭的祭品！想不到吧？！他杀了那只羊！

嘿，史努比，奶奶叫我们去她家吃感恩节晚餐……

你知道他们要吃什么吗？一只小鸟啊！！

噫！

他不来吗？

别问我，我也不知道他在想什么。

NO, MA'AM.. I DIDN'T GET MY HOMEWORK DONE...WELL, I GOT SORT OF INVOLVED..

I WAS WATCHING MY DOG SLEEP..

不，老师……我没有做完作业，我忙别的事情去了……

我一直在看我的狗睡觉……

有没有好写一点的钢笔啊?

我要一些好的文具。

亲爱的圣诞老婆婆，你最近过得怎样啊?

圣诞老婆婆?

就是在圣诞节那天坐着鹿车下来送礼物给我们的那位胖女人。

穿红衣服，留着白胡子?

白胡子只是伪装。

真聪明。

叫她送你一辆新自行车，怎样?

当然好啦!

请送我哥哥一辆新自行车。

圣诞老婆婆笑起来是"呵呵呵"那样，还是斯文地微笑?

不用带自行车来了!!

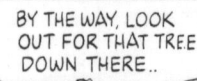

知道吗，我好像已经发现了自己某方面的性格……	顺便说一下，小心下面那棵树……	还有注意那些石头和篱笆……	查理·布朗，你发现了自己的什么性格呢？
			我总是乱操心。

昨天我一整晚都听到你的吠声……

到底发生了什么事？

这是我的报告……

凌晨 1 点，有只猫鬼鬼祟祟地爬过篱笆；凌晨 2 点，听见猫头鹰凄厉的叫声；凌晨 3 点 15 分，发现页贼。

什么叫"页贼"啊？

在月色昏暗的情况下，拼写错误的情况难免会发生……

我好像听见了开罐头的声音……

喔！	哇！	希望你喜欢吃这个。
我开罐头时差点割破了手指头，还差点把它整个儿掉到地上……	刚才跑来时又差点摔倒！	我最爱吃的就是这个了…… 几乎是最爱吃……

啊！我的脚抽筋了！

噢！好疼！

啊！我的腿不听使唤啦！

咚！咚！	你心情不好吗，伙计？你是不是一直担心我睡不着觉？好啦，别担心……有我呢。	有我在这儿，一切都会好的……
洪水会退去……饥荒会过去……太阳明天还会升起……	我会永远在这里照顾你！	放心好了！
		又会有谁来保护我这个小狗保护者呢？

THIS IS KIND OF INTERESTING

"SOMETIMES WHEN A DOG IS ABOUT TO GO TO SLEEP, IT WILL TURN AROUND IN A CIRCLE BEFORE LYING DOWN.."

"THIS HABIT GOES BACK TO THE DOG'S WILD ANCESTORS WHO STAMPED DOWN THE GRASS TO FORM A NESTLIKE BED.."

7-25

WHAT DOES IT SAY ABOUT WAKING UP?

真有趣！

"有时，狗在睡觉之前会在原地先打个转才趴下来……"

这个习惯要追溯到古代。他们的祖先睡前爱把草压平，以做成一张巢状的睡床……

书上关于他们起床是怎么描述的？

为什么人们要当律师呢······

因为这样可以赚很多很多的曲奇饼吃······

听说律师都不喜欢别人拿他们的职业来开玩笑······

为什么呢？

是不是因为你们都比以前要敏感呢？

嘿！看看这个怪诞的律师！他披着狗皮外衣呢！

你要干什么呢，尊敬的律师先生？愚弄法官吗？

啪！

我想你是真的很敏感，不是吗？

律师生来就是很敏感的······

对不起。

再不用坐在硬纸盒里滑雪下山了……

现在我有了真正的雪橇！

全世界最快的雪橇！

没有人能超过我！

没有人！

呵欠

		咚！咚！咚！
又睡不着了，啊？	现在我知道你睡不着觉时有多烦人了。	唉

我猜这是给你的……

胡士托给我的圣诞礼物！哇！

太激动了！是什么东西呢……

鸟食？！

我要鸟食干什么？

怎么老给人家一些从来都用不上的
东西？！

问问你的狗，出不出来玩弹珠游戏。

抓住这些珠子！

狗是不玩弹珠游戏的。

			我诅咒你，红色男爵！	
一战中的王牌飞行员飞回总部。他已经筋疲力尽了。	啊！他看见法式咖啡馆里有微弱的灯光。		你好，查理，你的狗来我家了。	是的，他刚喝完一杯根汁汽水，现在趴在桌上睡了。
啦啦啦啦！！！		很高兴你回来。	你看起来不大高兴……睡吧，战争会结束的……还想着那些可怕的事情吗？还是心里有点遗憾？	我很遗憾只喝了一杯根汁汽水。

看到了吧？挥动绳子，然后上下跳起。	为什么我也要跳？	因为好玩呀！也算是干点事。	我为什么要干点事？	我什么也不想干，只想四处逛逛……

你总不能老是四处游荡呀。	生活不该如此！你在浪费自己的生命，知道吗？！	别盯着我……我只想在附近歇歇……

噢！不！ 啊！！ 受不了了！ 我真的受不了啦！

你你怎么这样走路啊，哥哥？ 因为我们又输了！ 这叫"败者的脚步"……当你又输了一场的时候，你就会这样走了。 这也叫"被打的小狗"。

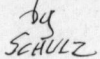

如果你真是圣诞老人，那你的鹿车在哪里？	那你是怎样落到别人的屋顶上，再跳进烟囱里的呢？	从烟囱下去后，又怎样回到上面来呢？
就算你能做这些，那么你确定你的鹿车会一直等你吗？	就算我给你三匹马，你到时照样会筋疲力尽的。	我就猜到你会在这儿的，只是后来听不到你的铃声了……

我们什么时候可以回家啊？

抱歉，史派克……我也不知道……

他们连一点儿木薯布丁也不发给我们……

一战中的王牌飞行员正向飞机场走去……

什么？我的飞机还没修好！还是满身弹孔？

我的机械师呢？

哈！我就知道会这样！坐在咖啡馆里跟一个年轻的乡村女孩喝根汁汽水……

你还有什么好解释的？

还有你，小姐……你还有什么话说？

喂？

对不起，请再说一遍好吗？

来，我想是找你的……

汪！

我想我永远都不会明白刚才是怎么回事……

是我哥哥史派克……

他只不过想说声"汪！"而已。

有输有赢

进了法庭后，我想跟你坐一块儿……

太棒了……我可以见到法官和其他人……

在做一些重要的笔记，是吧？

作为一个律师，他在开庭之前会做好充足的准备……

我总爱把天空涂成蓝色……

呼!

谁要喝水？这儿有……

是狗的嘴唇又怎样？

好，再来一次！

好了，礼让……够了……我们待会儿会让你再打的……

我叫了别人来打游击手这个位置……

一条狗？！

真丢人……我被一条狗给换下场了！

你觉得你自己很丢人，那我怎么办？

轰隆!

啊!

轰!

我的狗通常是躺在狗
屋上面的。

CHARLIE BROWN! TELL YOUR DOG TO STOP STARING AT ME!

IF YOU'LL SHARE WHATEVER YOU'RE EATING, MAYBE HE'LL GO AWAY..

1-18

YOU AGAIN?

HOW DID YOU KNOW IT WAS ME?

查理·布朗! 叫你的狗别老瞪着我!

要是你把吃的分他一点, 他就会走开的。

又是你?

你怎么知道又是我呢?

到哪儿去了？！		它们都到哪里去了？
我的连环画呢？！　什么连环画？	你经常看的那些！它们到哪儿去了？	都是你！最好我能找到它们，要不然……
不用担心了，我在沙发下找到了……	我们出去玩吧……你在干嘛呀？	我从来就不担心……

好好睡吧，别让臭虫给咬了。			废话少说。
好，数绵羊吧……	1、2、3、4、5……		一只山羊！它从哪来的？
鹅！谁让这些鹅进来的？又来一只山羊！谁让山羊进来的？还有马！马从哪来的？！	砰！砰！砰！		有时当我睡不着时，我就数绵羊。	我已经数了25只绵羊，2只山羊，14只鹅，1匹马，但还是睡不着！

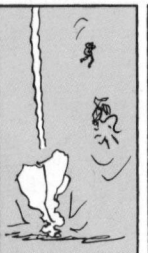

准备出发……

不，如果你不学学飞行，那你就得一辈子坐办公室了……

飞行学校

降落得很棒耶！

现在再飞一次看看，你要不要助跑啊？

还是先拍翅膀？

是边拍着翅膀边倾斜身子，还是……

砰！

想太多了，就做不好了……

祝你好运!		
礼让,你在这儿干什么?	我来守右外场……露丝今天来不了,所以我来顶替她……	别担心……她把帽子和手套都给了我,还把所有规则和技巧都跟我说了……
她说,她已经把所有要知道的东西都告诉我了……	把球投到好球区,笨蛋!	真高兴,她果然把什么都教给他了……

噢！不！			真倒霉！
又输了！	我受不了啦！	要是再输一场，我就要发疯了！	该死的！
我打得那么好，为什么还老输球！	我受不了了！		

开球！		我们要来个本垒打！
也许我太小了，不能上场，但至少我还能看比赛。	据说如果抓住了一个犯规球，就可以把它带到快餐店去换一杯免费饮料。	犯规球！犯规球！我要抓住它！我要抓住！
	在这里！这里呢！	欢迎到快餐店来。

		收费5分 医生候诊	收费5分 医生候诊	明白了吗？
查理·布朗，现在我们要谈的是"沟通"。	不单是口头语言……有时身体语言更管用……	身体语言？	有趣吧……身体语言……沟通……	
我的右外场手真是笨得可以，我怎么讲解她都不明白……	也许这就是沟通的问题，你说呢？	收费5分 医生候诊		心理学家对身体语言很在行……

准备好了吗？　准备什么？

这个是球，对吧？　你说是就是吧。

好，那我们再来一次吧。我把球扔出去，让你去追……

你可以扔 1000 次，但我就是不追。

也许我该换一种方式……

你可以换 1000 种方式，但我还是不追……

有时这是解释上的问题……

你可以解释 1000 次，但我还是不追……

我想，你的狗有点问题……

在某日前不得开启

是的，阿姨……我想退掉在这儿买的一样东西……

这原本是为一个女孩买的圣诞礼物，可他没勇气送给她。

还没拆开的……

是的，我本想送给班上一位红发小女孩的……

你认识她？

你是她妈妈？

你在这儿工作？在这商店里？你是她的妈妈，竟然在这儿上班？

我们第一次看见你的时候，还以为你是她的姐姐呢！

你干吗跟她说那些？

她让你退了那件礼物了，不是吗？

我猜你刚才一定是　　是的，但环境
到外面堆雪人了。　　不太适合……

READY TO QUIT THE GAME, HUH? WELL, I DON'T BLAME YOU..

IF YOU'RE GOING TO QUIT, HOWEVER, IT HAS TO BE OFFICIAL..

YOU HAVE TO FILL OUT THIS FORM.."NAME..AGE.. HOW LONG YOU'VE BEEN PLAYING.."

"PROMISE NEVER TO PLAY AGAIN.. NEVER TO TAKE ANOTHER LESSON.. NEVER TO WATCH GOLF ON TV.."

YOU HAVE TO HAVE IT SIGNED BY JACK NICKLAUS, AND IT HAS TO BE SENT TO ST. ANDREWS IN SCOTLAND..

WAIT A MINUTE..THERE'S ONE MORE THING...

"RESIGNING PLAYER MUST REMOVE ALL CLUBS FROM TREES"

4-18

不想玩了是吧？好，我不会怪你的……

但要是你真想退出，就得按规矩办……

首先，你要把这张表填好……"姓名、年龄……球龄……"

"保证永远不打球，永远不再学打球……永远不再看高尔夫球的电视转播……"

你还必须得到杰克·尼克鲁斯的签字批准，并把它寄到苏格兰的安德鲁大街……

等等，还有一条……

"中途退出的选手都必须把树上这些球杆拿掉。"

莱纳斯？

你怎么不回答？　　回答什么？

这正是我要问你的！　　哈欠……

什么？抱歉，我刚才在打哈欠和伸懒腰，而在我打哈欠和伸懒腰时是听不见任何声音的。

我想问你是不是……

我又没听到……刚才在吃薯片，而在我吃薯片时，是听不见任何声音的。

那算了，如果你听不到我说什么，那我写给你看吧！

光线太暗了，我什么也看不到……

学习是一种体验。

至少人们是这么说的……

查理，你不介意我站在你后面吧？

要想成为一个投球手，就得向大师多多请教……

大师？

太好了……这样我能看到你握球的手法和如何集中精神了。

还有怎样转身投球……

这应该是你的衣服……

我领教到大师的威力了……这是你的袜子吗？

这是一个红色的球，记住了吗？	我要把它扔到地球的尽头，追它的时候得小心嗳……	确认别摔到地球外面去了！
		怎么了？　　　我正在确认……

小狗，小心点，别碰到我的毛毯，否则……	否则？	否则怎样啊？	咔嚓！	喂！天啊！
		哎哟！		小狗可不懂什么叫"否则"。

噫！

有些人总喜欢招惹敌人！

史努比
拼图系列

《史努比拼图系列》由Snoopy漫画形象创新组合而来

分260块装和500块装两个系列，共8款

画面精美漂亮

是Snoopy迷们必藏的"纪念海报"

是少年儿童们寓教于乐的绝佳益智玩具

《史努比彩色周日版》精选自最新的Snoopy英文原版漫画，是Snoopy漫画的精华，故事情节最为丰富。漫画全彩，趣味十足！原版英文与中文翻译对照，原汁原味！Snoopy爱好者必藏！

PEANUTS®

史努比 COLOURED
彩色 SNOOPY ON
周日版 SUNDAY